U0112794

当代书法名家◎中国书法家协会草书专业委员会专辑

聂成文

海风出版社
HAIFENG PUBLISHING HOUSE

图书在版编目（CIP）数据
聂成文专辑/聂成文书.—福州:海风出版社，2008.11
（当代书法名家.中国书法家协会草书专业委员会专辑；1/胡国贤，李木教主编）
ISBN 978-7-80597-829-1

I.聂… II.聂… III.草书—书法—作品集—中国—现代 IV.J292.28

中国版本图书馆CIP数据核字（2008）第177057号

当　代　书　法　名　家
中国书法家协会草书专业委员会专辑
聂成文 专辑

策　　划：焦红辉
主　　编：胡国贤　李木教
责任编辑：叶家佺　叶浩鹏　吴德才
装帧设计：叶浩鹏
责任印制：傅　强　吴尚联

出版发行：海风出版社
(福州市鼓东路187号　邮编:350001)
出 版 人：焦红辉
印　　刷：福州青盟印刷有限公司
开　　本：889×1194毫米　1/16
印　　张：4印张
版　　次：2008年11月 第1版
印　　次：2009年3月 第1次印刷
书　　号：ISBN 978-7-80597-829-1/J · 177
定　　价：798.00元 (全套21册)

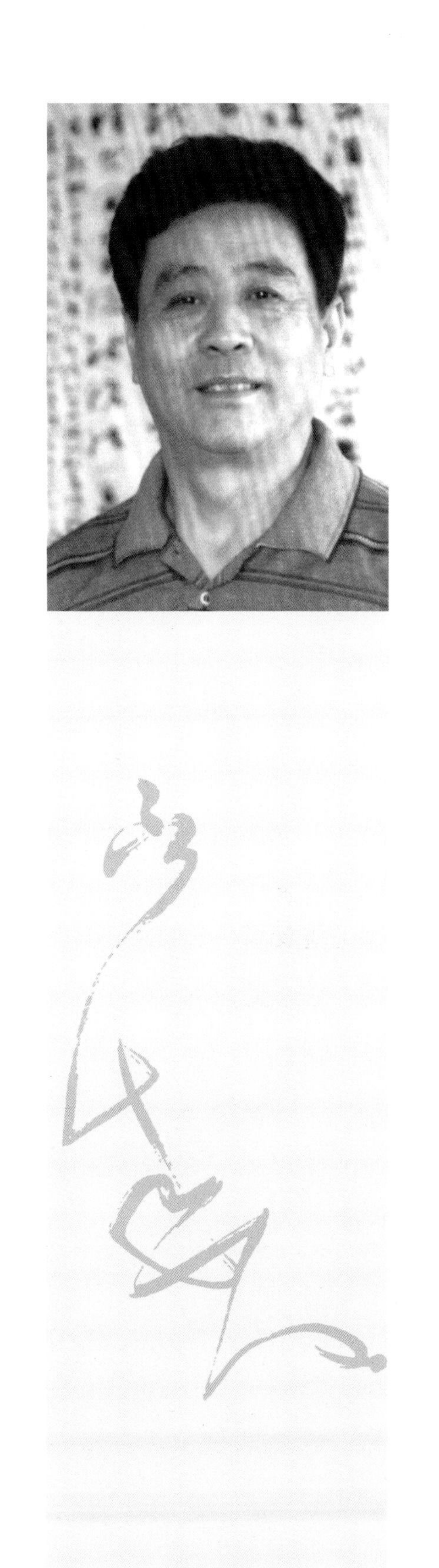

聂成文　1946年2月生于辽宁辽阳，现任中国书法家协会副主席，中国书法家协会草书专业委员会主任，辽宁省文联副主席，辽宁省书法家协会主席。作品曾参加历届全国书法展，历届全国中青年书法展以及中国书协举办的各种展览。还参加了中日代表书法家展、中国赴巴黎书法展等国际书法展。著有《加强基本功训练是当务之急》等数十篇论文，出版《聂成文书法集》、《聂成文书画集》、《高高堂书画集》、《聂成文诗文集》等。

序

两个多月前，经李木教委员搭桥，由海风出版社出版《当代书法名家》丛书，第一辑为中国书法家协会草书专业委员会专辑，每个委员一卷，既能反映每位书家个人的艺术风采，又能体现草书委员会的整体实力、整体风貌，还能彰显当代草书创作的一些境况和情势，一举多得，令人兴奋。

草书专业委员会成立于2006年，是中国书法家协会下设的几个专业委员会之一，职责是专事草书方面的研究、创作等。共有委员二十一人（原二十二人，副主任周永健先生今年五月因病故去）。年龄最大者六十几岁，最小者三十几岁，都是活跃在当今书坛的实力派书家。

这二十位书家，每个人都在草书上卓有建树，功力既深，格调亦高，个性风格鲜明而强烈。他们都以传统为师，在传统中孜孜以求，精益求精。并在此基础上，广涉博取，锐意开拓，大胆突破，开辟新境界。因而他们的作品无论气象还是内涵上，都很耐人寻味，颇富艺术感染力。

海风出版社将这么多书家和他们的作品结集出版，诚是一着高棋，定会令人一饱眼福，并从中获得一些有益的启示。

本人作为草书委员会的一员，能和诸书友一道共同参与这个盛事，深感荣幸。借本书出版之际，谨向海风出版社表示诚挚的谢意。希望本书能受到欢迎。也诚望能得到批评指正，以期有更大的长进，不辜负书友和同道们的厚望。

聂成文

二〇〇八年八月八日

目录

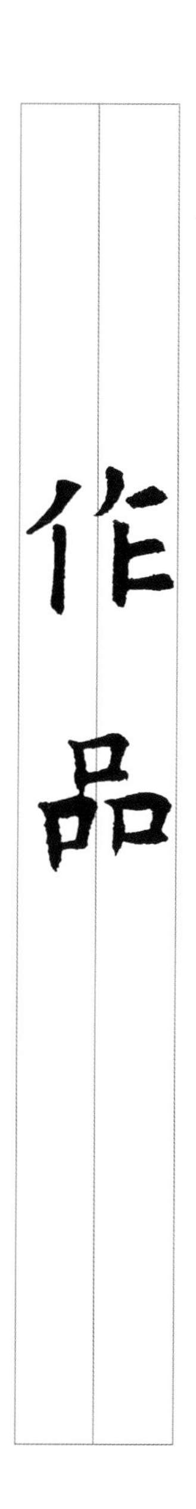
作品

爱莲说

水陆草木之花，可爱者甚蕃。晋陶渊明独爱菊；自李唐来，世人甚爱牡丹；予独爱莲之出淤泥而不染，濯清涟而不妖，中通外直，不蔓不枝，香远益清，亭亭净植，可远观而不可亵玩焉。予谓菊，花之隐逸者也；牡丹，花之富贵者也；莲，花之君子者也。噫！菊之爱，陶后鲜有闻；莲之爱，同予者何人；牡丹之爱，宜乎众矣。

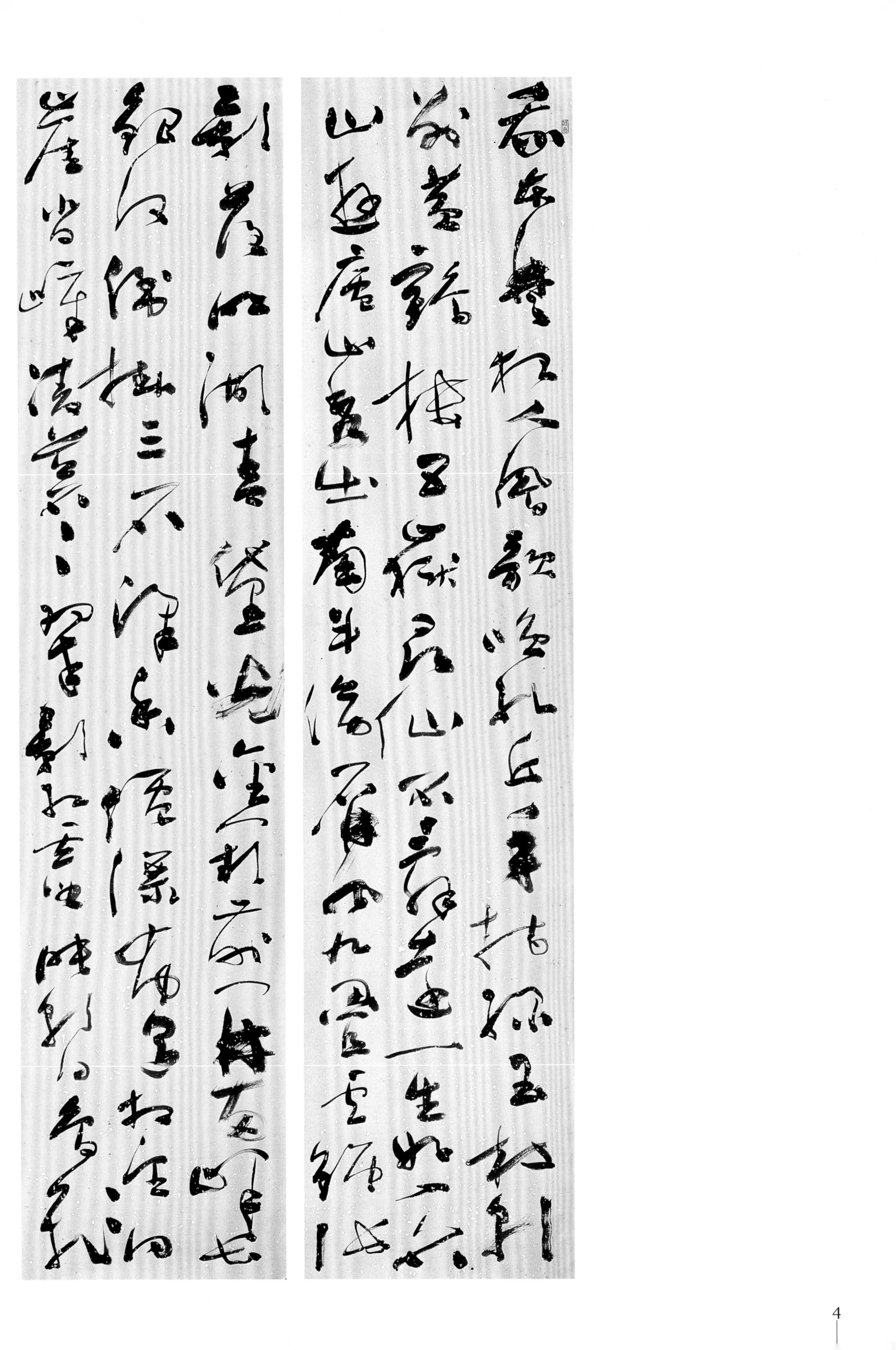

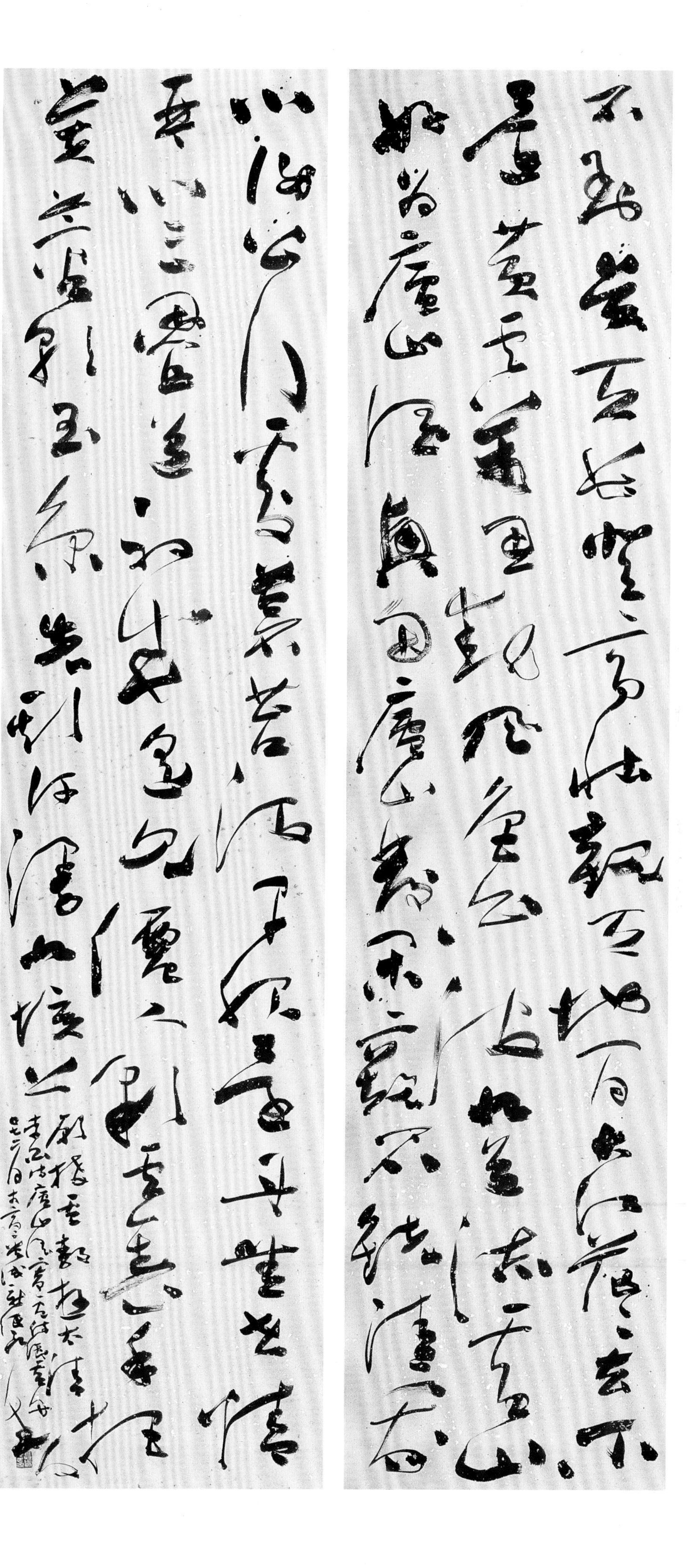

我本楚狂人，凤歌笑孔丘。手持绿玉杖，朝别黄鹤楼。五岳寻仙不辞远，一生好入名山游。庐山秀出南斗傍，屏风九叠云锦张，影落明湖青黛光。金阙前开二峰长，银河倒挂三石梁。香炉瀑布遥相望，回崖沓嶂凌苍苍。翠影红霞映朝日，鸟飞不到吴天长。登高壮观天地间，大江茫茫去不还。黄云万里动风色，白波九道流雪山。好为庐山谣，兴因庐山发。闲窥石镜清我心，谢公行处苍苔没。早服还丹无世情，琴心三叠道初成。遥见仙人彩云里，手把芙蓉朝玉京。先期汗漫九垓上，愿接卢敖游太清。

溪上遥闻精舍钟，泊舟微径度深松。
青山霁后云犹在，画出西南四五峰。

健儿飞四海，个个娇如龙。
竞展翩翩技，好风聚北京。

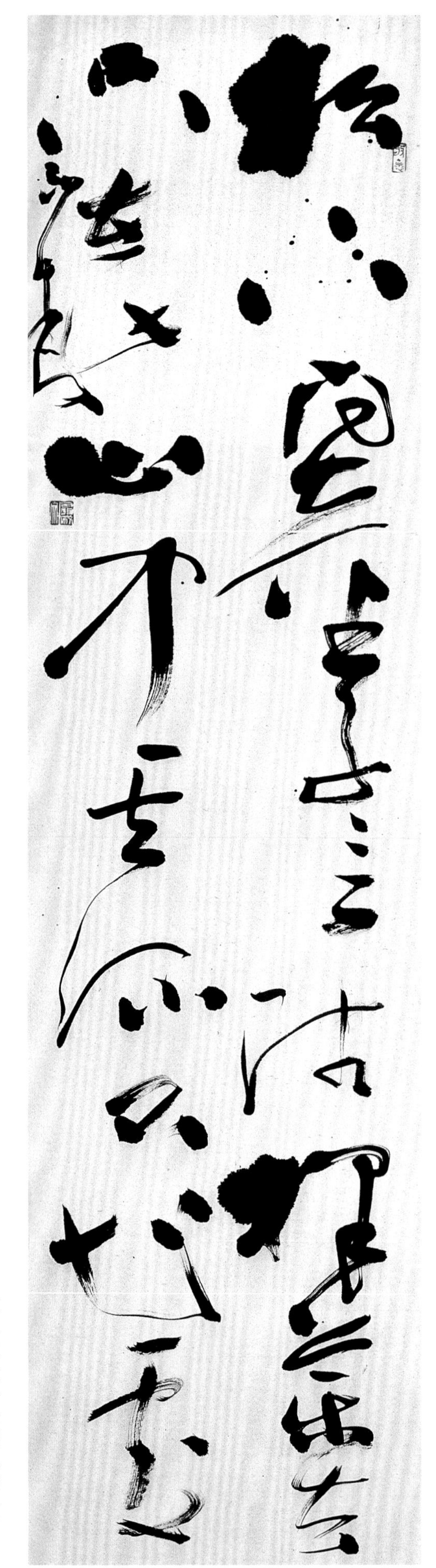

松下问童子，言师采药去。只在此山中，云深不知处。

山下有残碑，千年传瘗鹤。侧之向荒崖，奔涛几时落。

半是清晰半是昏，颠狂何用酒沾唇。
明白原本人间事，写到糊涂方入神。

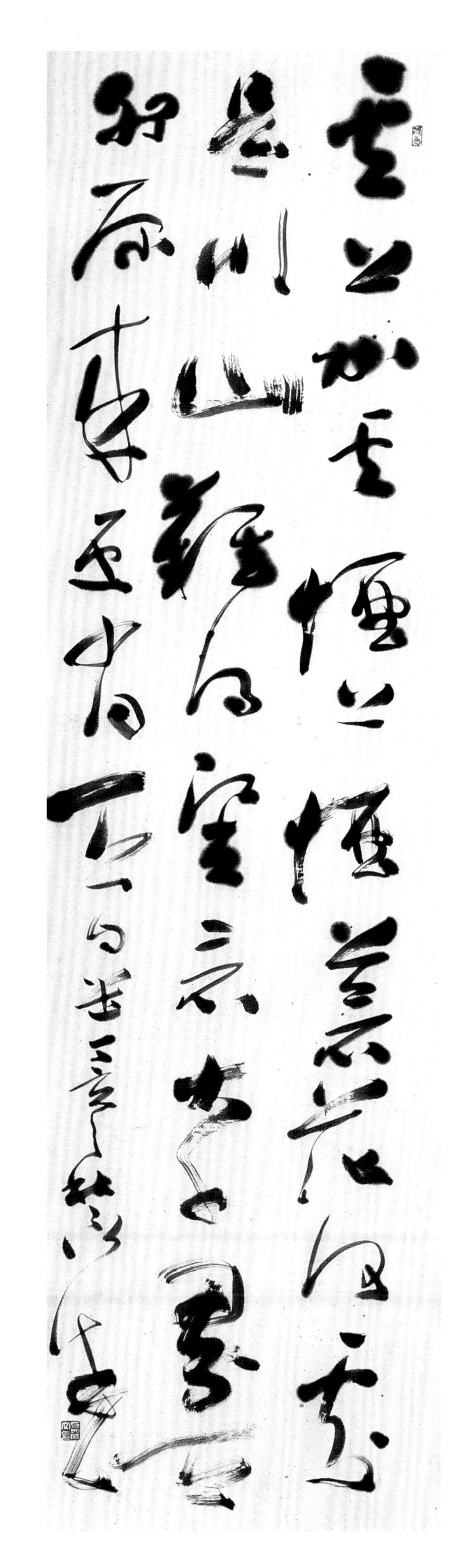

云上加云烟上烟，苍茫何处是川山。难得竖看大千界，天外原来更有天。

天真振迅
惊沙坐飞

墙角数枝梅，凌寒独自开。
遥知不是雪，为有暗香来。

何处望神州？满眼风光北固楼。千古兴亡多少事？悠悠。不尽长江滚滚流。年少万兜鍪，坐断东南战未休。天下英雄谁敌手？曹刘。生子当如孙仲谋。

不炼金丹不坐禅，饥来吃饭醉来眠。生涯画笔兼诗笔，踪迹花边与柳边。
镜里形骸春共老，灯前夫妇月同圆。万场欢乐千场醉，世上闲人地上仙。

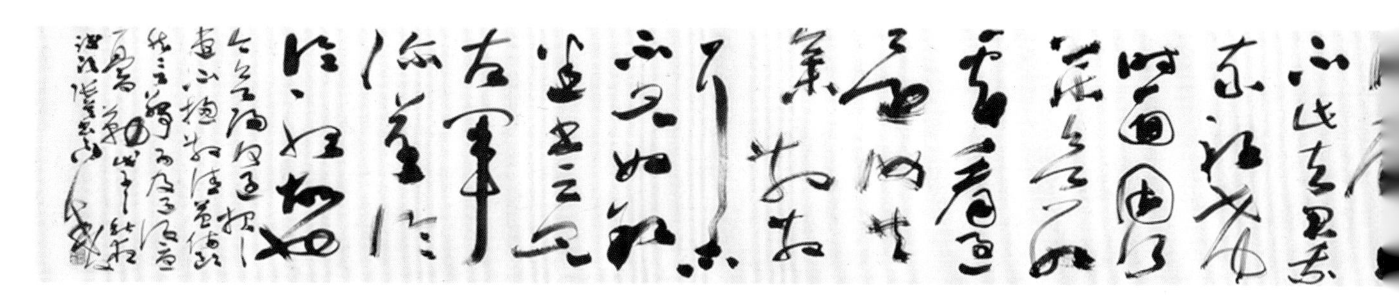

知汝殊愁且得还为佳也冠军暂畅释当不得极踪吾病来不辩行动潜处耳终年缠此当复何理耶
且方有诸分张不知此去复得一会不讲竟不竟可恨汝还当思更就理一昨游悉谁同故数往虎丘
不此甚萧我祖希时面因行药欲数处看过还复共集散耳不见奴粗悉书云见左军弥若论听故也

宠辱不惊，看庭前花开花落。
去留无意，任天际云捲云舒。

筆寫瘋癲神鬼來相助靈怪競閃光萬般
頓悟(?)劫只覺肆(?)信剛墨濃離(?)何(?)飽淋漓四濺
香一陣狂濤掃轉瞬百十行忽輕又忽重抑抑
又揚揚點畫俱迷漫焉(?)顧圓與方渾然一片片
何去谷(?)路行有如龍蛇舞雲漢鶴鵬翔復(?)似
大江水咆哮向蒼茫一發不可收奔騰豈可當
同好皆激目犢(?)緒共奮昂想素翁(?)跳(?)腳大驚
吾輩狂吾輩自有種敢稱(?)草中王書狂實瘋
膽心狂筆方狂天地涯腕底氣宕吞八荒

[illegible]

書狂草歌四字 [illegible]

[illegible]

楷书自书诗《狂草歌》

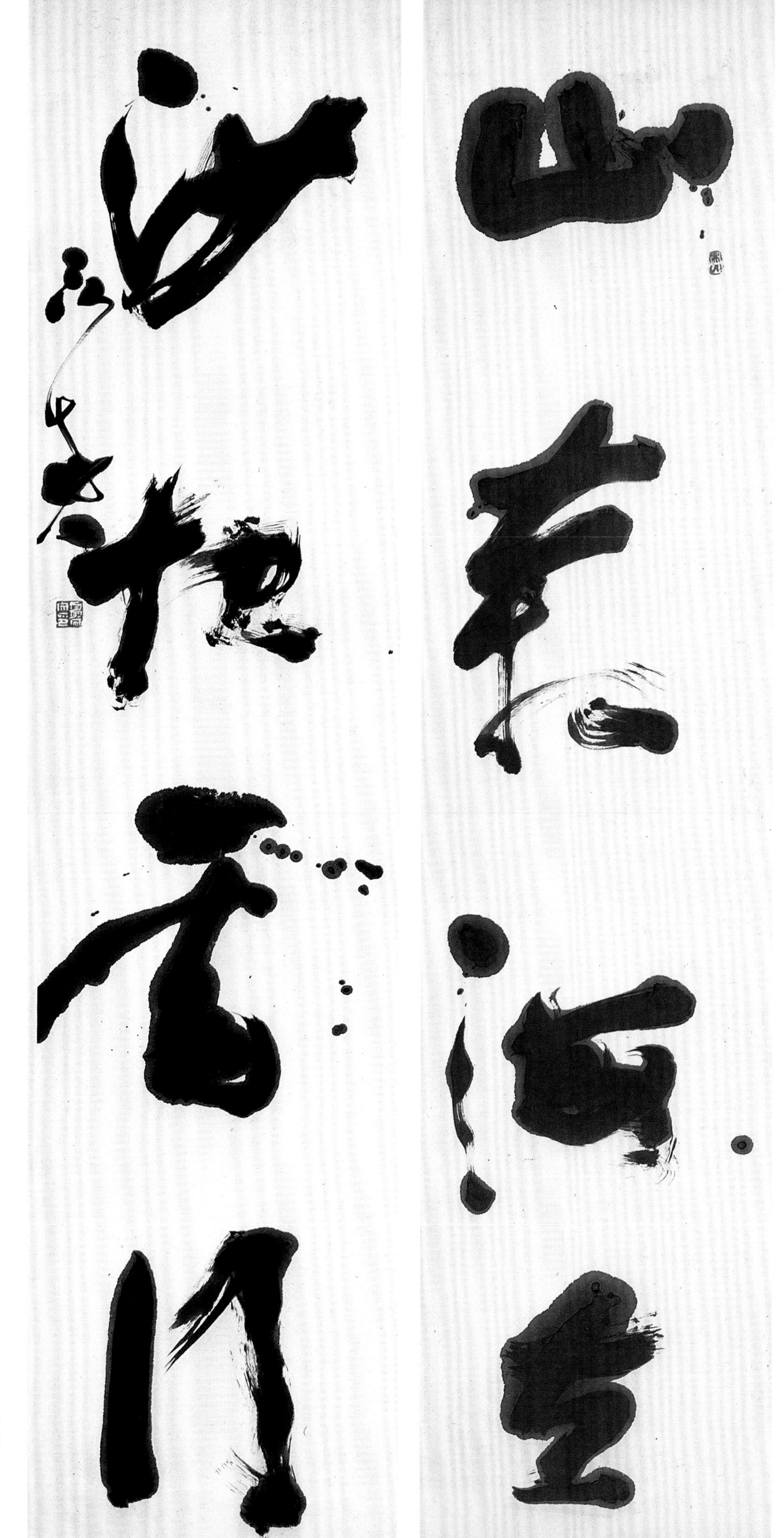

山奔海立
沙起雷行

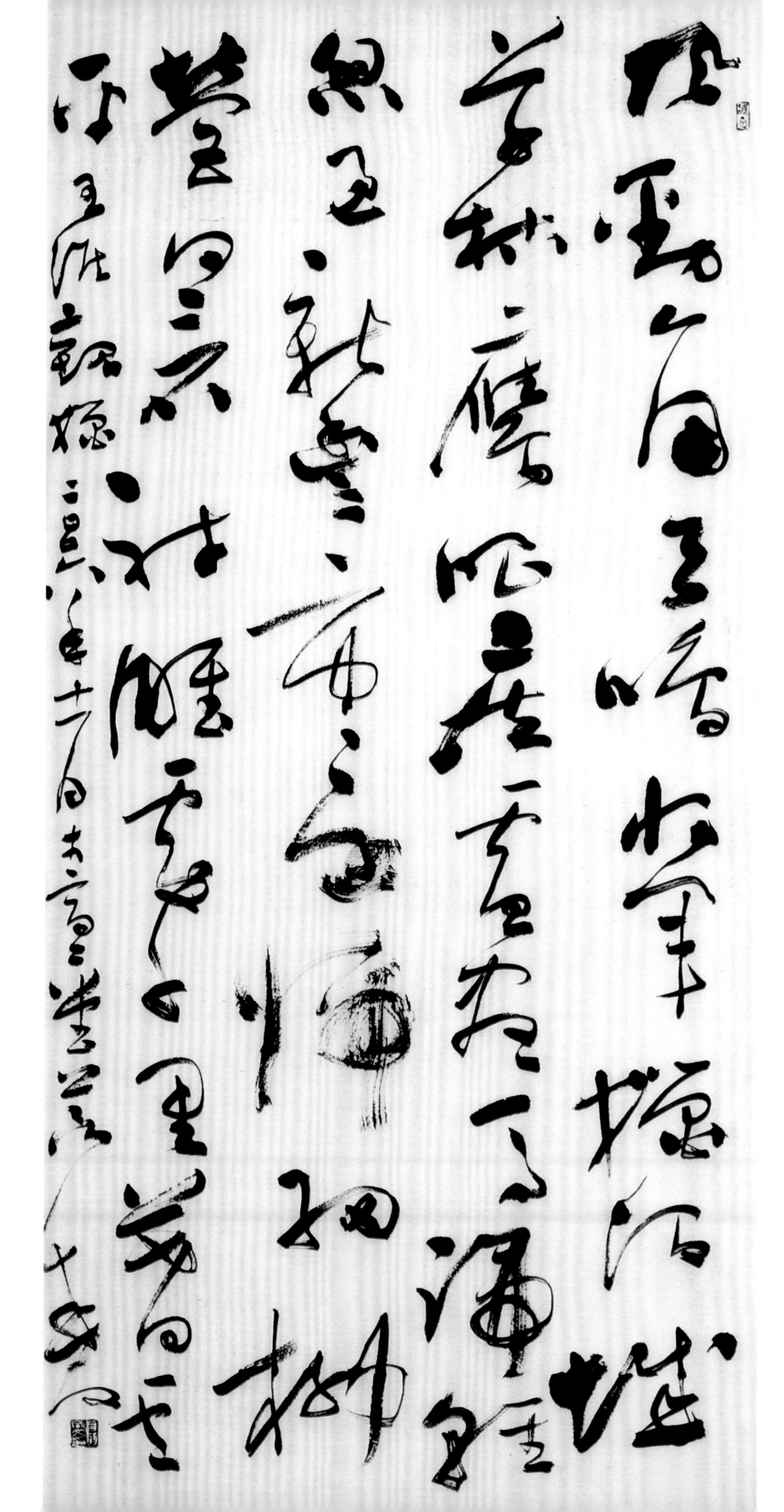

风劲角弓鸣，将军猎渭城。草枯鹰眼疾，雪尽马蹄轻。忽过新丰市，还归细柳营。回看射雕处，千里暮云平。

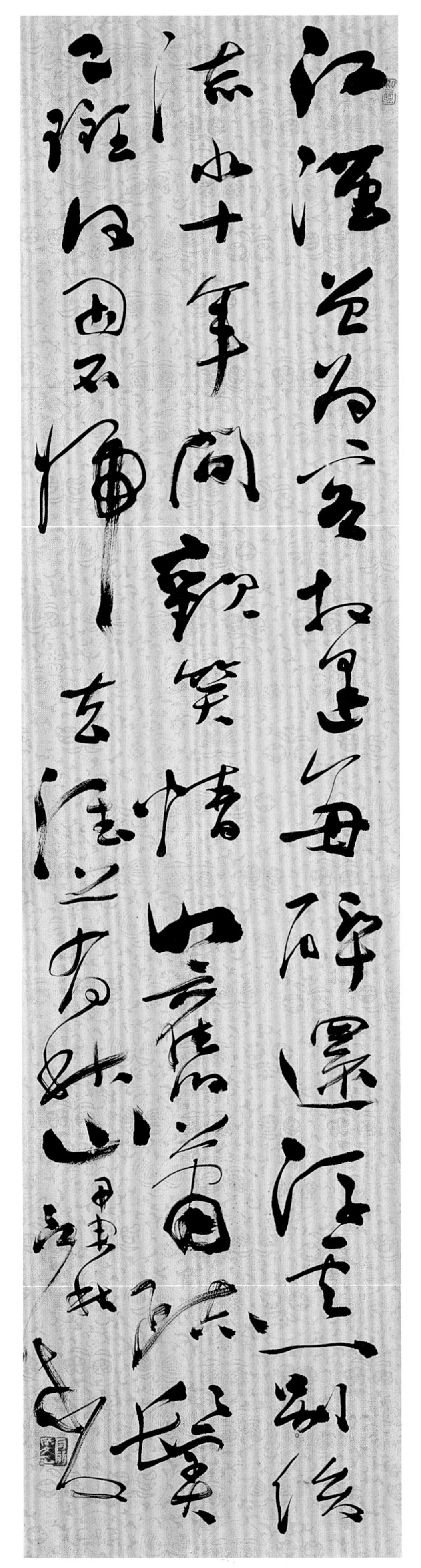

江汉曾为客，相逢每醉还。
浮云一别后，流水十年间。
欢笑情如旧，萧疏鬓已斑。
何因不归去，淮上有秋山。

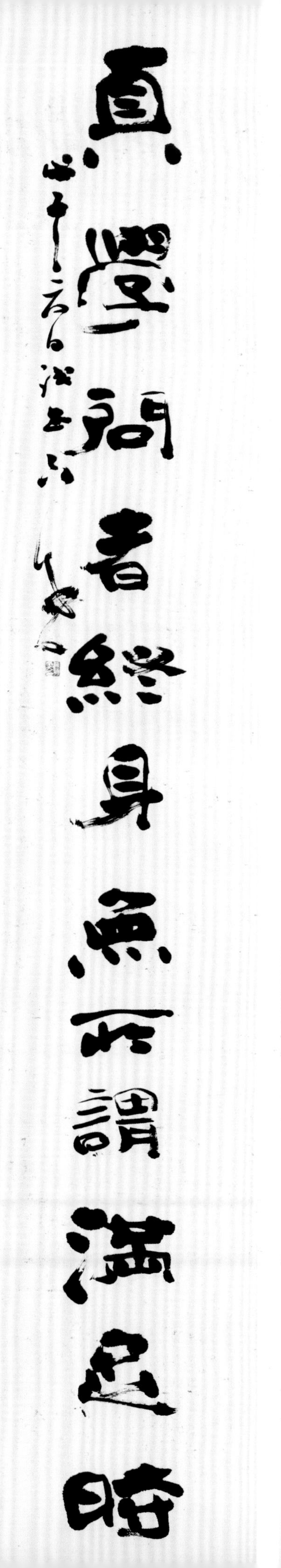

大本领人平日不见有奇异处
真学问者终身无所谓满足时

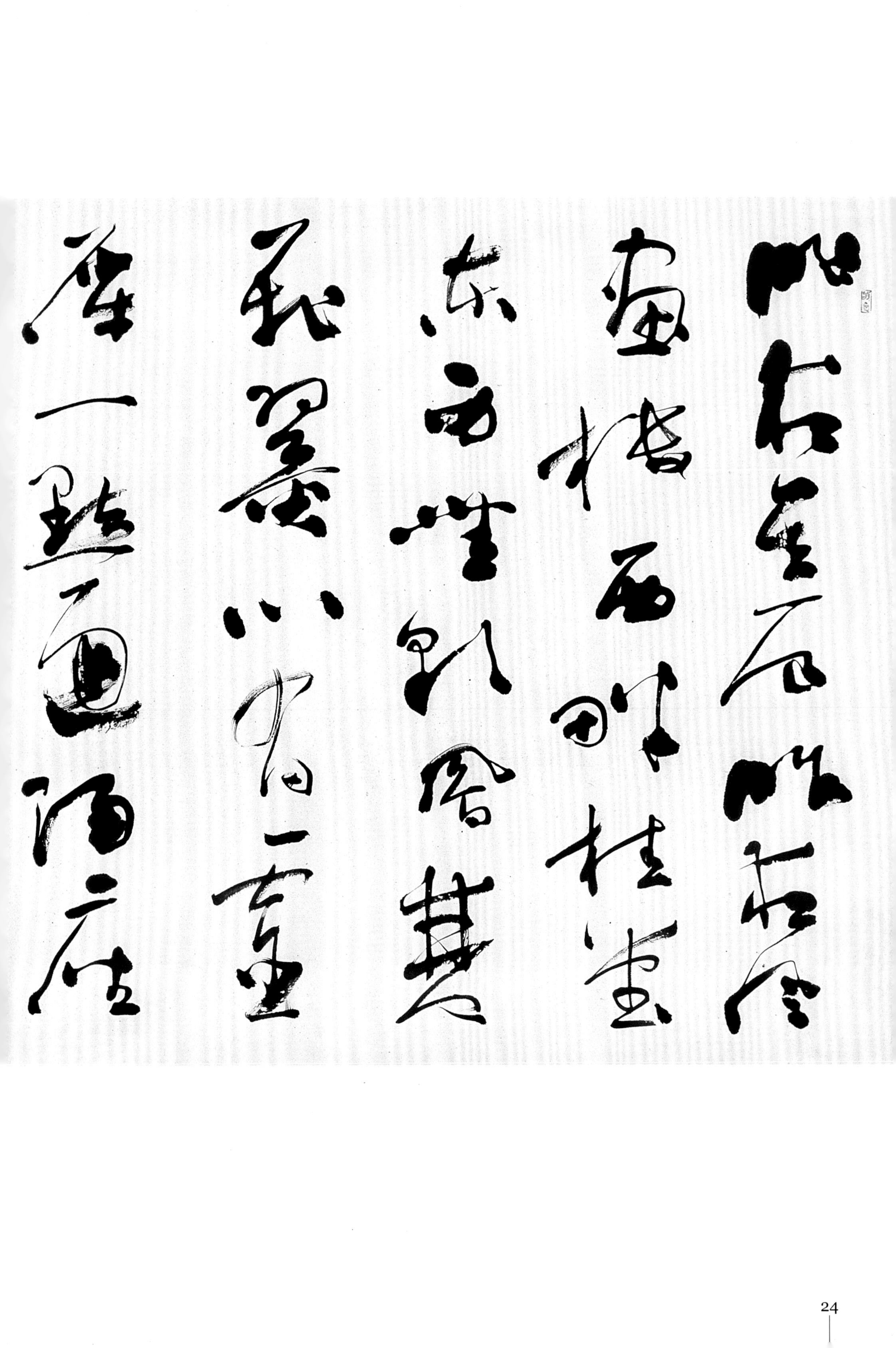

昨夜星辰昨夜风，画楼西畔桂堂东。身无彩凤双飞翼，心有灵犀一点通。隔座送钩春酒暖，分曹射覆蜡灯红。嗟余听鼓应官去，走马兰台类转蓬。

少年上人号怀素，草书天下称独步。墨池飞出北溟鱼，
笔锋杀尽中山兔。八月九月天气凉，酒徒词客满高堂。
笺麻素绢排数厢，宣州石砚墨色光。吾师醉后倚藤床，
须臾扫尽数千张。飘风骤雨惊飒飒，落花飞雪何茫茫。
起来向壁不停手，一行数字大如斗。恍恍如闻鬼神惊，
时时只见龙蛇走。左盘右蹙如惊电，状同楚汉相攻战。
湖南七郡凡几家，家家屏障书题遍。王逸少，张伯英，
古来几许浪得名。张颠老死不足数，我师此义不师古。
古来万事贵天生，何必要公孙大娘浑脱舞。

帝子潇湘去不还，
空余秋草洞庭间。
淡扫明湖开玉镜，
丹青画出是君山。

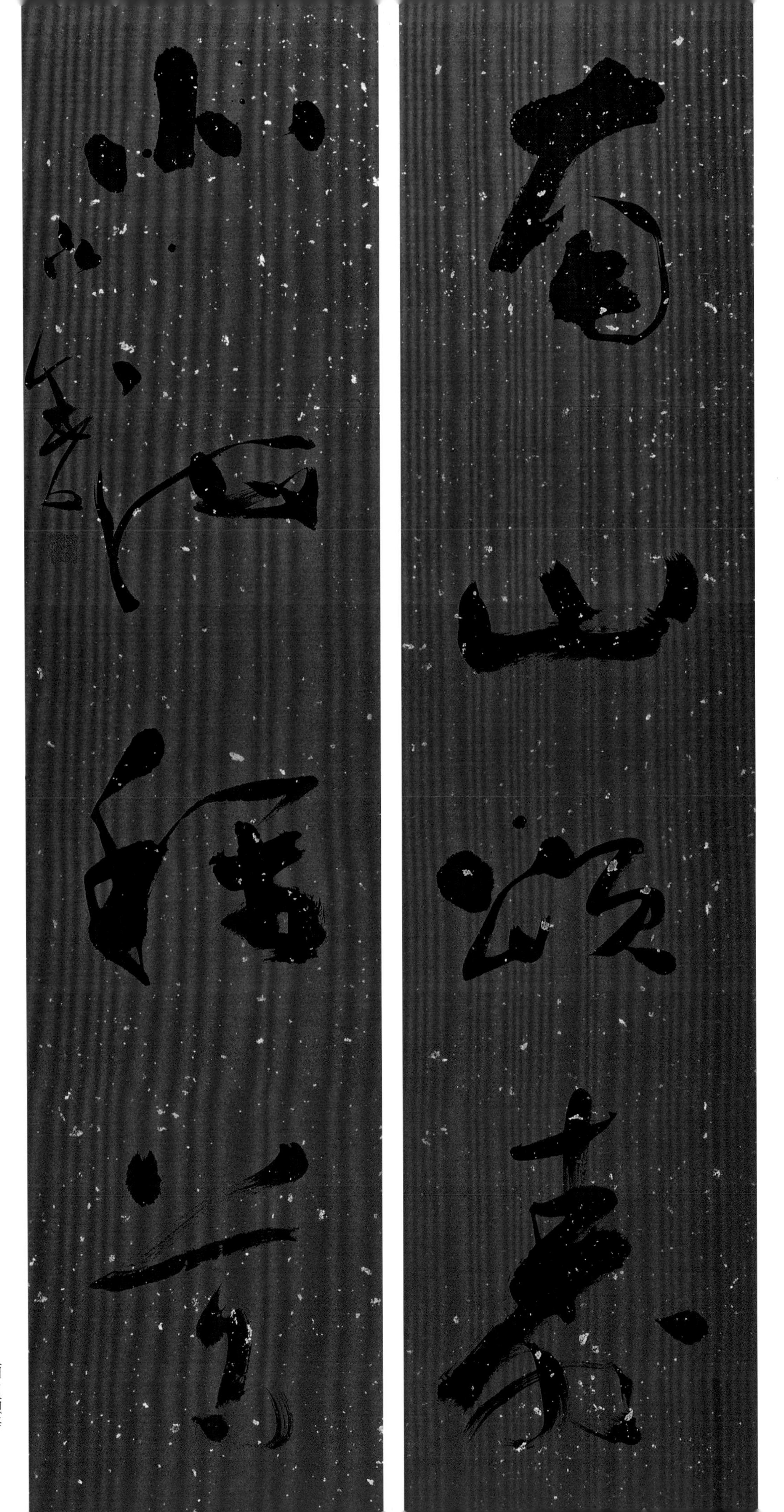

南山颂寿
北海称尊

淋漓笔墨勃勃心，百态千姿撼胆魂。
多少弄潮戏海手，既能承古又开今。

知章騎馬似乘船眼花落井
水底眠汝陽三斗始朝天道逢麴
車口流涎恨不移封向酒泉
左相日興費萬錢飲如長鯨吸
百川銜杯樂聖稱避賢宗之
瀟灑美少年舉觴白眼望青
天皎如玉樹臨風前蘇晉長
齋繡佛前醉中往往愛逃
禪李白一斗詩百篇長安市上酒

知章骑马似乘船，眼花落井水中眠。汝阳三斗始朝天，道逢曲车口流涎，恨不移封向酒泉。左相日兴费万钱，饮如长鲸吸百川，衔杯乐圣称避贤。宗之潇洒美少年，举觞白眼望青天，皎如玉树临风前。苏晋长斋绣佛前，醉中往往爱逃禅。李白一斗诗百篇，长安市上酒家眠，天子呼来不上船，自称臣是酒中仙。张旭三杯草圣传，脱帽露顶王公前，挥毫落纸如云烟。焦遂五斗方卓然，高谈雄辩惊四筵。

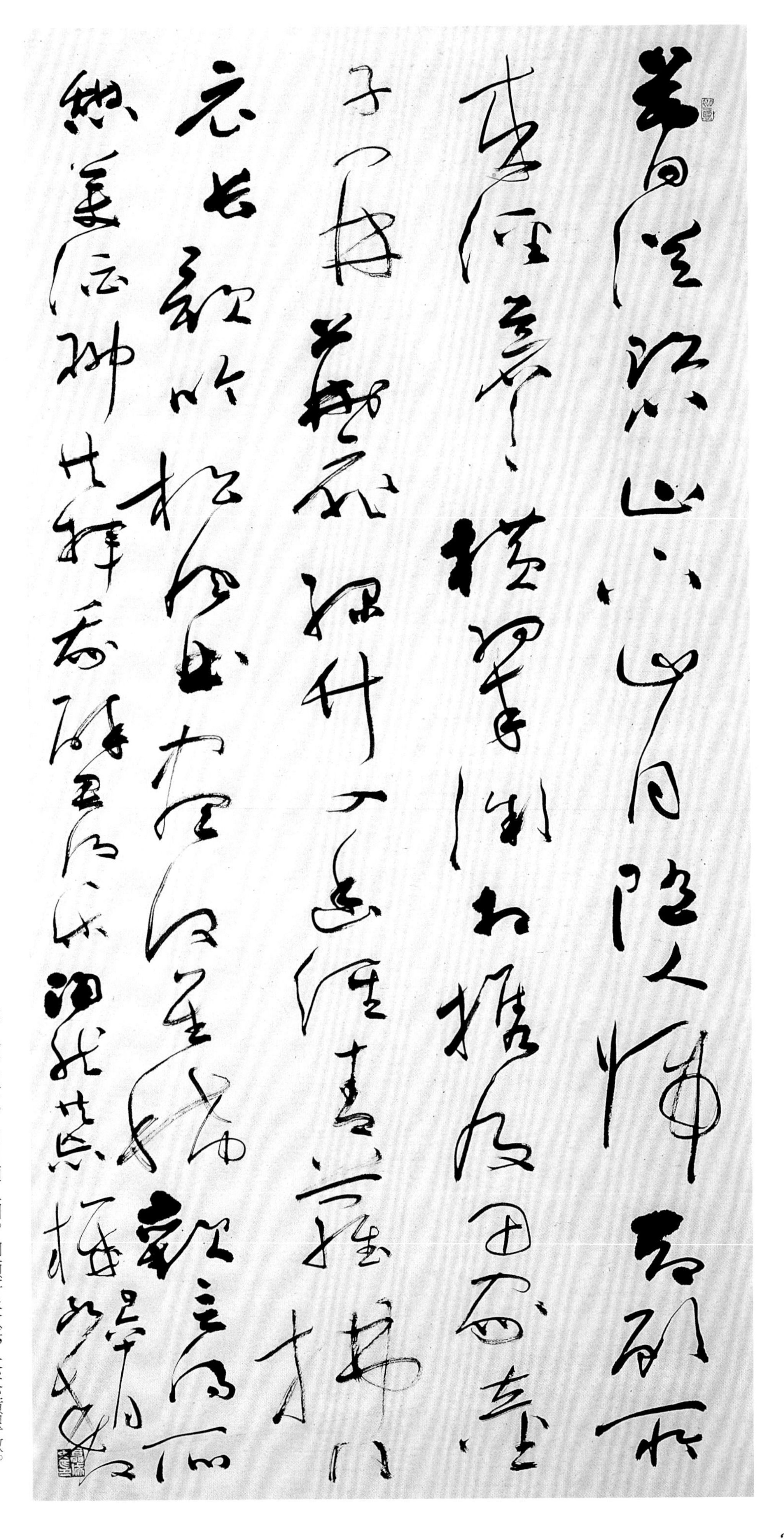

暮从碧山下，山月随人归。却顾所来径，苍苍横翠微。相携及田家，童稚开荆扉。绿竹入幽径，青萝拂行衣。欢言得所憩，美酒聊共挥。长歌吟松风，曲尽河星稀。我醉君复乐，陶然共忘机。

微心何喜发清狂，放笔长歌揽大荒。
留取芙风湖海气，人生多少紫霞光！

新设书斋闹市中、下临敞路上接空、凭窗满目云和日、伏案充毫虎与龙，身退更得天地阔，胸宽且见道途明。高楼直耸林般立，长萧一身气贯虹。

落日欲沒峴山西倒著接䍦花下迷襄陽小兒齊
拍手攔街爭唱白銅鞮傍人借問笑何事笑殺山公醉
似泥鸕鷀杓鸚鵡杯百年三萬六千日一日須傾三百杯
遙看漢水鴨頭綠恰似葡萄初醱醅此江若變作春
酒壘曲便築糟丘臺千金駿馬換少妾笑坐雕
鞍歌落梅車旁側挂一壺酒鳳笙龍管行相催
咸陽市中嘆黃犬何如月下傾金罍君不見晉朝羊
公一片石龜頭剝落生莓苔淚亦不能為之墮心亦不
能為之哀清風朗月不用一錢買玉山自倒非人推舒州杓力士鐺李白與爾同死生襄王云
雨今安在江水東流猿夜聲 一 李白襄陽歌 二〇〇六年三月廿六日錄 [illegible]

李白《襄阳歌》

不喜张扬不喜狂，幽幽淡淡发馨香。
世间多少佳佳品，都教兰花独占光。

岭海八年，亲友旷绝，亦未常关念，独念吾元章迈往凌云之气，清雄绝世之文，超妙入神之字，何时见之，以洗我积岁瘴毒耶！今真见之矣。余无足云者。东坡居士酒醉饭饱，倚于几上，白云左缭，清江右洄，重门洞开，林峦坌入。当是时，若有思而无所思，以受万物之备。惭愧！惭愧！

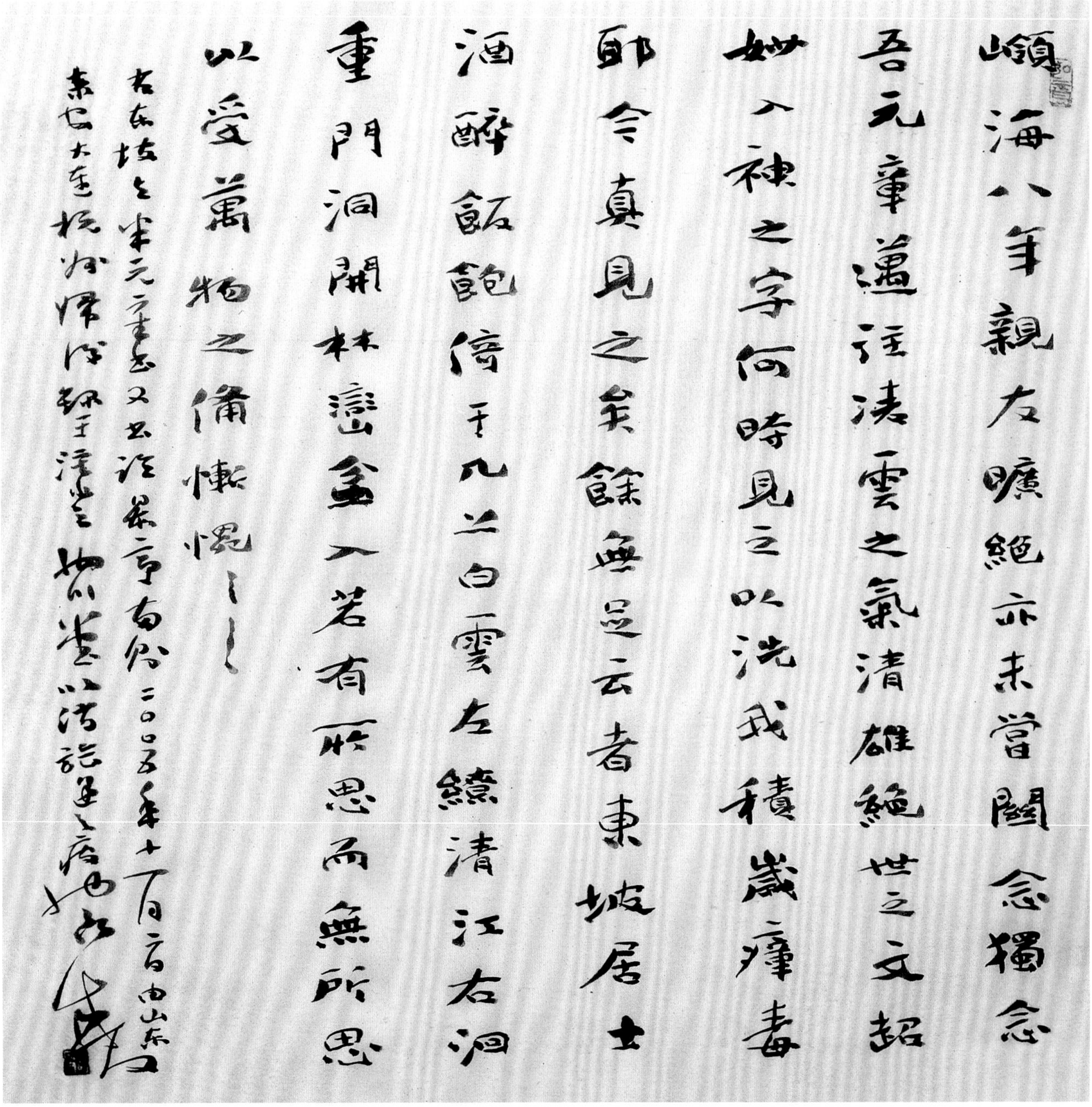

八尺长桌十米窗，高阳静洒砚池旁。兴来情怀不可遏，淋漓大笔墨溅淌。
颠张醉素何足数，不如吾曹气开张。沧海鼓荡雷电激，大河咆啸震八荒。
刷刷点点不停手，抹抹涂涂意英扬。管尔法度为何物，我自写我肝与肠。
一顿狂扫千万字，神飞直令鬼神丧。从古都道酒壮胆，我却无酒更颠狂。
书法本意在宣泄，何必扭捏装势腔，使我不得胸胆张！

大江东去，浪淘尽。千古风流人物。故垒西边，人道是，三国周郎赤壁。乱石穿空，惊涛拍岸，卷起千堆雪。江山如画，一时多少豪杰！遥想公瑾当年，小乔初嫁了，雄姿英发，羽扇纶巾，谈笑间，强虏灰飞烟灭。故国神游，多情应笑我，早生华发。人生如梦，一樽还酹江月。

几度横流斩大波，开张竞欲上天河。
微躯未惧平生贱，起舞中宵发浩歌。

笔墨

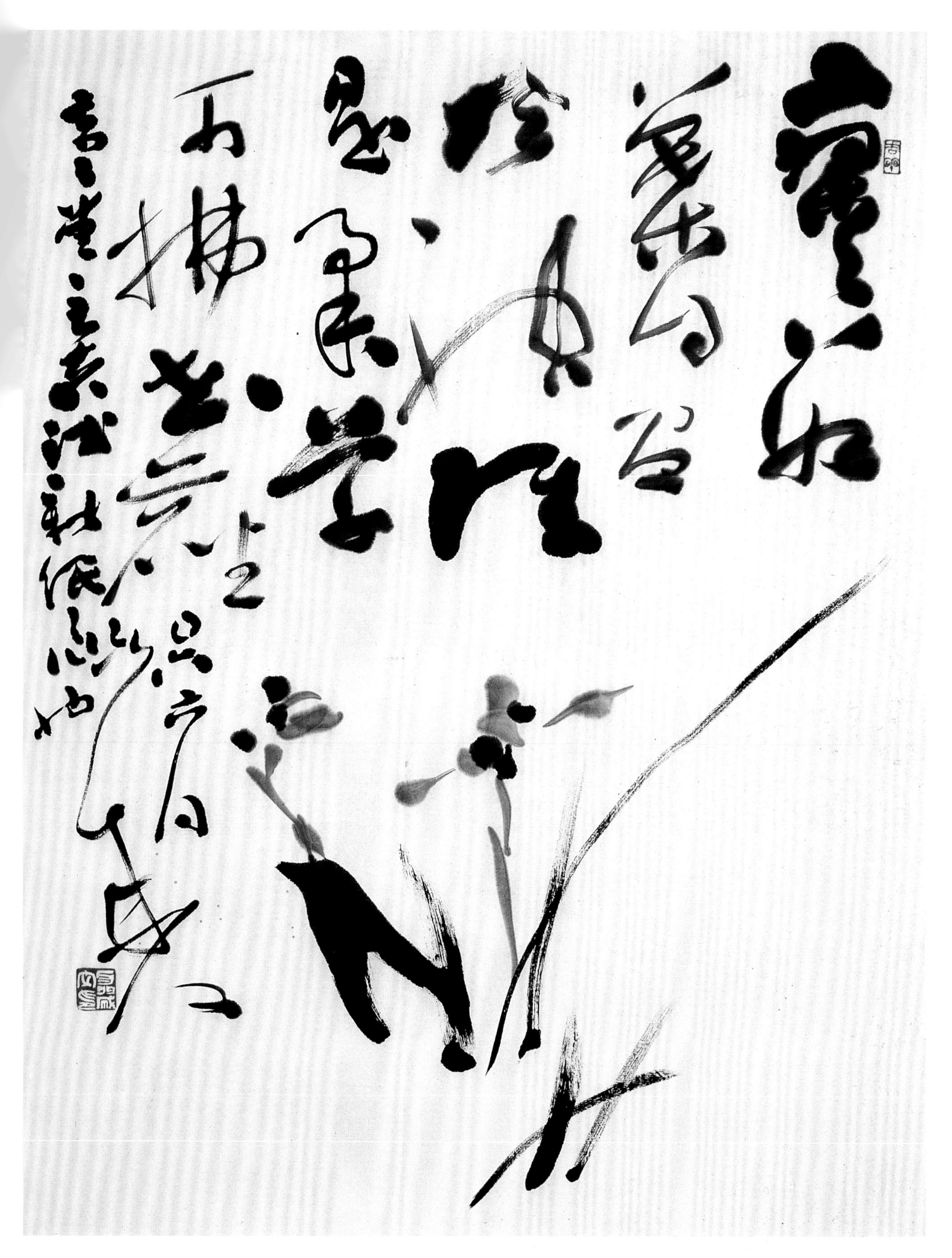

廖廖数叶，自有风神。
虽是柔草，可拂世尘。

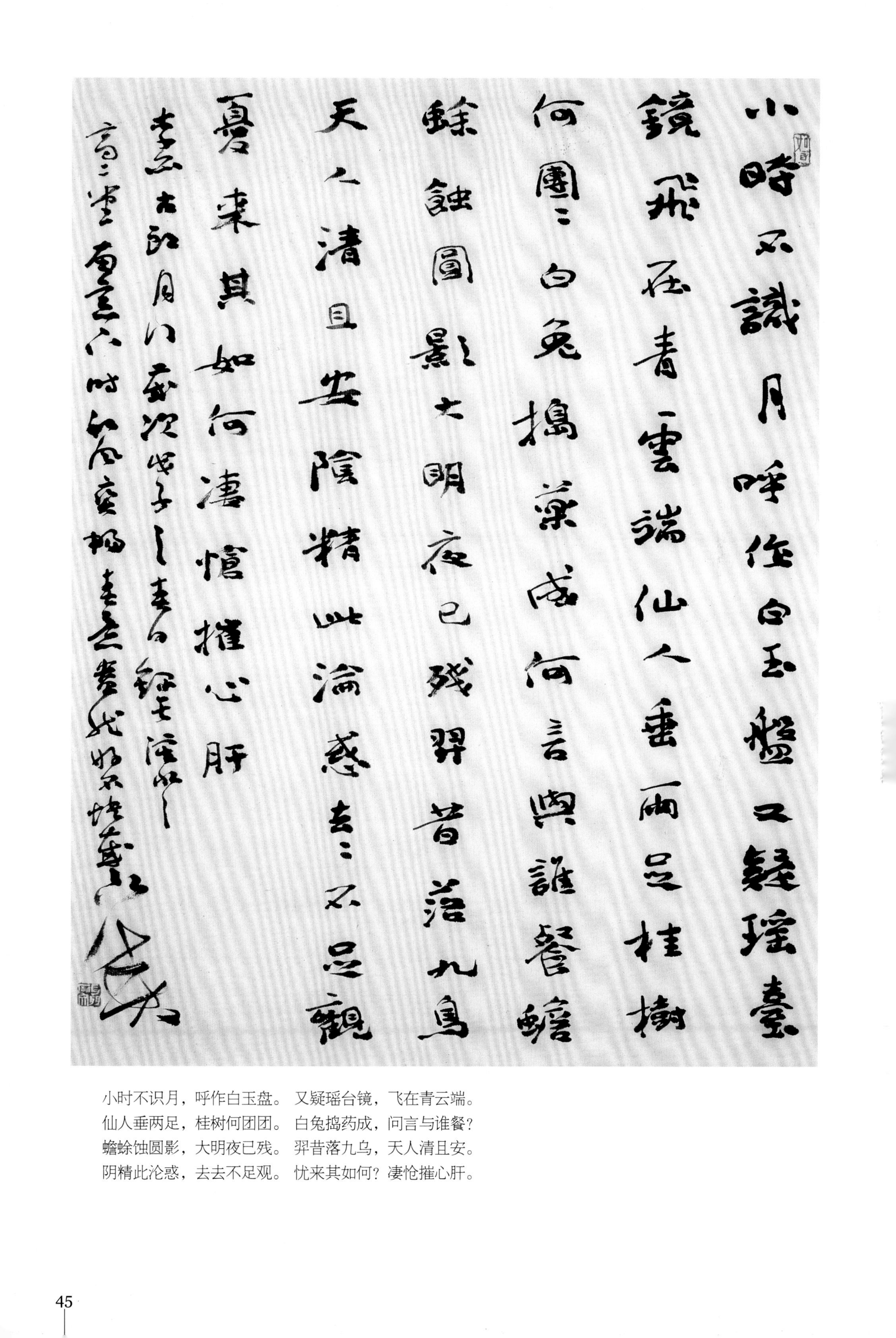

小时不识月，呼作白玉盘。 又疑瑶台镜，飞在青云端。
仙人垂两足，桂树何团团。 白兔捣药成，问言与谁餐？
蟾蜍蚀圆影，大明夜已残。 羿昔落九乌，天人清且安。
阴精此沦惑，去去不足观。 忧来其如何？凄怆摧心肝。

故园东望路漫漫，双袖龙钟泪不干。
马上相逢无纸笔，凭君传语报平安。

银烛炜煌，昼眠夕寐，蓝笋象床，弦歌酒宴，接杯举觞，矫手顿足，悦豫且康，嫡后嗣续，祭祀蒸尝，稽颡再拜，悚惧恐惶，笺牒简要，硕谷审评。

金樽清酒斗十千玉盤珍羞直萬錢停杯投箸不能食拔劍四顧心茫然欲渡黃河冰塞川將登太

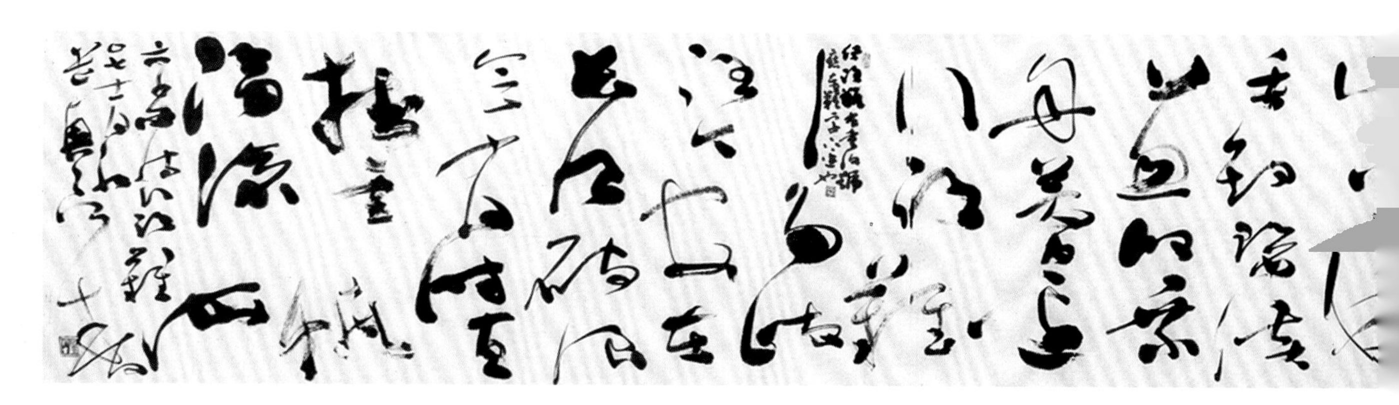

金樽清酒斗十千，玉盘珍馐直万钱。停杯投箸不能食，拔剑四顾心茫然。欲渡黄河冰塞川，将登太行雪满天。闲来垂钓碧溪上，忽复乘舟梦日边。行路难，行路难，多歧路，今安在？长风破浪会有时，直挂云帆济沧海。

苍龙日暮还行雨
老树春深更著花

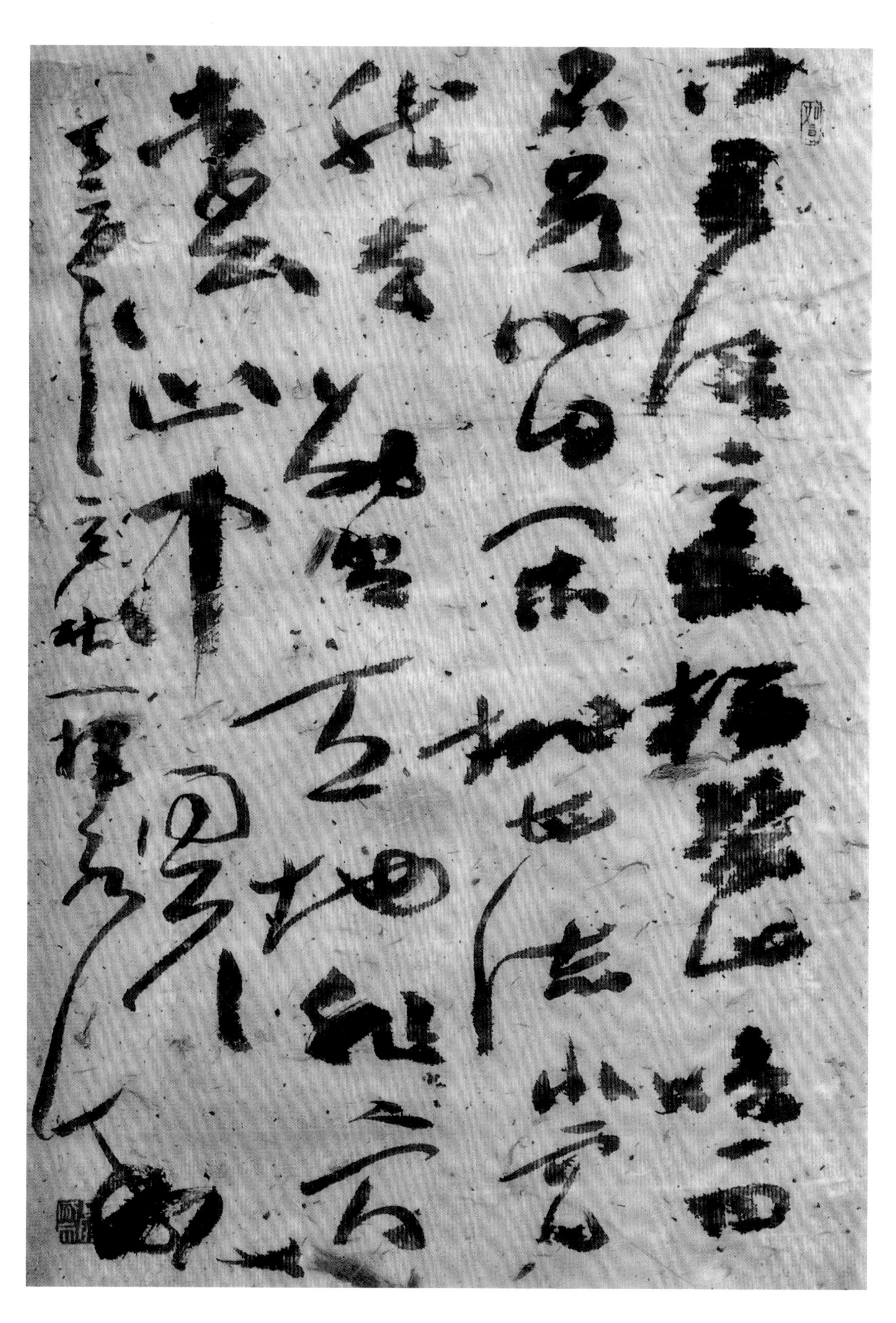

问余何意栖碧山，笑而不答心自闲。
桃花流水窅然去，别有天地非人间。

今年年初，在太原街新华大厦，购置了新的工作室，以备退休后之用。室处十八层东南端，东南向皆有大窗，敞亮宽阔令人为之一振，楼外人流熙熙，繁华异常；楼内天井通透清净，有如世外。凭窗远眺，高楼林立，气象颇为壮观，且交通四通八达，人气极旺，真上上宝地也；每每挥毫作书，顿有蓬勃之气鼓荡心头，情绪格外高涨。友人到此皆交口称赞，妻儿亲属更是兴奋异常，我当然喜不自禁。从此又有了一间可资创作会友，相当便利的安身之所。退休后不仅不会寂莫，反而会更充实、更精彩。八十年代初我曾为我的书斋取名曰『纳川堂』激励自己多包容、多容纳，今按本室特点取名曰『高高堂』，一意为堂高高在上；二意为兴高，高高兴兴意可御天，二意融为一体，恰有天人合一之概。诚为天赐之喜地旺地也，特写此以志。二零零六年二月廿五日下午录于高高堂之南窗下。

暮从碧山下，山月随人归。却顾所来径，苍苍横翠微。
相携及田家，童稚开荆扉。绿竹入幽径，青萝拂行衣。
欢言得所憩，美酒聊共挥。长歌吟松风，曲尽河星稀。
我醉君复乐，陶然共忘机。

以收促放 以稳写狂

——我写狂草的一些实践与体会

聂成文

我从1996年开始集中写狂草，至今已经十多年了。记得变法之初，对于自己一下子由温和变为狂放，心理准备是不够充分的，就是说自己都怀疑这样写是对还是不对，究竟合适不合适，心里没底，带有很大的疑惑和盲目性，所以一时间没有敢将这样的作品往外拿。直到1997年的全国第七届中青年书法展，怀着忐忑不安的心情，试探性地展示了自己狂草二条屏——李白《将进酒》。在得到了很多朋友的认可和支持后，方才安下心来。逐渐感到，变法的路走的是对的，是自己艺术生涯中跨出『拈花惹草』相当重要的一步，是由写法到写情写性的重要转折点，是体现自己艺术个性和艺术创造力的重要实践与探索。问题的关键，是必须把握好放的火候，做到收放平衡，不能一味地放，而不注意收。书法艺术的本质要求是阴阳冲和，刚柔相济，亦即矛盾和谐，不能不够，也不能过火，过犹不及。狂草的要求是如此，弄的不好，最容易放的过火，滑向『魔道』。这正是狂草的大忌，也正是狂草的难点所在。从表面看，狂草只要是能狂起来就行了，其实不然，它的要求更高，难度更大，是在迅猛激荡中得到稳定平衡，绝不是来了情绪便信笔乱放一通所能奏效的。可以说，没有坚实的基本功，没有严格的法度和理性作为支撑，放便不是真放，狂也不是真狂，而是胡来胡闹，这样弄出来的东西不能称之为狂草，甚至不能称之为书法艺术，因为它背离了书法艺术最起码的要求——法度。而对于我，重点还是要防止放得过火，而不是放得不够。虽然自己已经有了一定的功底，但对写狂草还是个新课题，要想放得好，放得站得住，必须在收上下更大的功夫，在稳上做足文章，相辅相成。否则只会南辕北辙，事与愿违。鉴于这个认识，自己便在放的同时加强了收和稳的训练。

第一，多写楷书。如钟繇的《荐季侄表》、但目标没有这么明确，认识没有这么深刻，切切实实体验到楷书对于写好草书，特别是狂草实在是太重要了，若使书笔沉学而字安，便必须写好楷书。在写楷书的同时，有意识地把草书简洁畅快的一些笔法融到楷书里面，使楷书也写得灵便了起来，活脱了起来。

第二，多写小草，中草是狂草的基础和前提。小草稳健，平和，法度严整，不激不厉，伸缩性强。过去常写的《十七帖》和怀素小草《千字文》等，又着力去写，去体会，重点还是把笔稳下来，精到起来，避免怒张，避免草率，避免做作，避免偏执。

第三，进行写法的锤炼。着重训练在快速激荡下控制笔的能力，特别是注意笔道的中间环节，力求不空过，不轻浮，无论虚实，也无论方圆，都笔笔到位，划划力足，经得起推敲和琢磨。

第四，培养和训练良好的创作情绪与心态，使之与写法训练同步，既热情奔放，又冷静沉着，保证技巧充分发挥，乃至淋漓尽致，时出意外。书法艺术毕竟是抒情的艺术，情绪与心态是技巧的灵魂与主导，不掌控好定会失之过激，使草书失去魅力。而恰到好处的情绪与心态必须在实践中磨练和生成。

第五，收与放交替训练。放一段时间便收起来写，收一段再放开挥洒，不断将收的体会融到放中去，同时也将放的精神贯注到收中，在收中能有放的气度，在放中能寓收的内涵，既防止放得过火，又避免收得过度。互相『滋补』，互相促进，两利双赢。并且经常检查，总结创作中的得与失，及时调整，及时修正。2004年8月我在《整理旧作感怀》一诗中写到：『款款凉风入牖来，径将旧稿展铺开。灯昏夜重神无倦，素纸映得天既白。』道出了我当时审理旧作时的情景与心境。

第六，永远保持清醒的头脑，冷静地看待自己的所得，不背包袱。既勇于开拓，又不自醉自足。把眼光总是盯在自己的作品上，盯在笔道上，盯在自己的缺点和不足上，千方百计地改进之、克服之、提高之，将精力用在最需要致力的地方。

十多年中，由于始终坚持在放的同时加强收的训练，使狂放的境界不断得到了新的提升，自觉笔道的沉实和内涵在逐年提高，在原来奔放的基础上，增加了含蕴与清醇，较过去过重的靠冲劲、靠外张、靠表面的形式变化去放有所不同，如气势开合、润枯、块面等方面，有了明显的改观。无怪乎许多朋友说我放得比过去深沉了，更耐看了，既放得开，又蹲得住，既大气，又有韵致，这大概就是十多年坚持的结果吧。

十多年的实践，使我深感，要写狂草，定然要心狂笔狂。然单靠狂是远远不够的，还得注意狂的另一面——收与稳。收，方能腴内而隽永，稳，方能扎实而增韵。务须以收促放，以稳写狂，愈放愈收，愈狂愈稳，才能放到最佳处，狂到最妙处，放出高格调，狂出高境界，收到好效果。这就是我写狂草的一点体会，一点对我来说很管用、很实在，而且还在继续实践着的体会。